Hee, een t

Femke Dekker
met tekeningen van Jolet Leenhouts

Zwijsen

vies weer
raam
doos
druk
Lot
koud
nat

Niets te doen

Lot kijkt uit het raam.
Het is vies weer.
Nat en koud.
En in huis is het niet leuk.
Er is niets te doen.

Lot is bij oom Kees.
Oom Kees is leuk.
Hij doet altijd gek.
Maar niet vandaag.
Vandaag is hij druk.
Hij ruimt zijn huis op.

'Oom Kees,' zegt Lot.
'Er is niks te doen.
Het is vies weer.'
Oom Kees draagt een doos.
Hij kijkt Lot aan.
'Ik weet het ook niet,' zegt hij.
'Maar we kunnen toch wel iets doen?' vraagt Lot.
'Iets leuks?'
Oom Kees zet de doos op de vloer.
Hij kijkt om zich heen.
'Ik weet niet,' zegt hij.
'Wat vind je leuk?'

tuinhuis
punthoed
kapstok
rotzooi
ligstoel

Schatkist

Oom Kees heeft een tuinhuis.
Het is niet groot.
Maar het staat wel vol.
Met Lot gaat hij ernaartoe.
'Wat een rotzooi!' roept Lot.
Er staat een fiets met een band die plat is.
Een viskom met een gat erin.
Een kapstok met een jas en een punthoed.
'Dat kan weg,' zegt oom Kees.
'Het is troep.
Wil jij dat doen?'

Lot is aan het werk.
Ze ruimt alle rotzooi op.
Wat stuk is, moet in een doos.
De viskom.
Een fietsmand.
De kapstok en een jas en een hoed.
Er is ook een ligstoel.
Die is niet stuk.
Lot hoest.
Er komt stof uit.
In de vloer is een luik.
Een luik met een ring.
Wat zou daar zijn?
Lot gaat erheen.

Ze trekt aan de ring.
Het luik komt omhoog.
Een gat in de vloer.
En daar ...
Daar staat een kist.
Een schatkist!
Lots hart gaat snel.
Heeft oom Kees een schat?
Lot pakt de kist uit het gat.
Wat zou erin zitten?

boor
staf
traan
pop
jurk
trol
schat
kist

Hee, een fee ...

Lot kijkt in de kist.
Er zit geen schat in.
Maar wel een pop.
Ze heeft lang haar.
En ze heeft een jurk aan.
De jurk is blauw.
Is die pop van oom Kees?
Nee ... dat kan toch niet?

Lot zet de kist weg.
Ze moet aan het werk.
Maar er is een stem.
'Lot,' zegt de stem.
'Lot, help me.'
De stem komt uit de kist.
Hoe kan dat?

Lot kijkt naar de pop.
Haar arm gaat omhoog.
'Lot,' zegt ze.
'Praat je?' vraagt Lot.
'Ik ben een fee,' zegt de pop.
'Hee,' zegt Lot, 'een fee ...'

'Waarom lig je in de kist?' vraagt Lot.
'Oo ...' zucht de fee.

Een traan rolt uit haar oog.
'Het komt door de trol.
Hij heeft mijn staf.
Ik kan niet uit de kist.
Pak je mijn staf?' vraagt de fee.
Dat wil Lot wel.
Maar waar is hij?
'De trol heeft hem,' zegt de fee.
'Ik zoek wel,' zegt Lot.
'Pas op!' roept de fee.
'De trol is eng!'

klein
paars
neus
bijt

De trol is eng

‘Lot,’ zegt de fee.
‘Lot, daar is hij!’
De fee wijst.
Is dat de trol?
Lot duikt erop af.
‘Lot, pas op!’ roept de fee.
Maar Lot is niet bang.
De trol is maar klein.
Hee au, die trol bijt!
‘Oo, Lot,’ huilt de fee.
‘Pas toch op!’
Maar Lot is boos.
Ze heeft de trol te pakken.
Hij is klein.
Hij past in haar hand.
Zijn haar zit wild om zijn hoofd.
Het is paars.
Zijn neus is groot.
Zijn mond ook.
En hij ruikt vies.
Bah.
Maar Lot houdt hem goed vast.
De fee huilt in de kist.
‘O, Lot,’ roept ze.
‘Pas toch op!
Die trol is eng.’

stinktrol
zak
boor
staf
hand

De trol in een zak

De trol zit in Lots hand.
Hij slaat wild om zich heen.
‘Stom kind!’ roept hij.
‘Laat me los!’
‘Waar is de staf?’ vraagt Lot boos.
‘Weg!’ roept de trol.
Hij lacht hard.
‘Waar is de staf?’ roept Lot nog eens.
‘Jij stinktrol, je bent stom!’
De trol lacht.
Maar niet zo hard als eerst.
Lot doet hem pijn.
‘Ik heb geen staf,’ piept hij.
‘Wel waar!’ roept Lot.

Lot is in het tuinhuis.
Ze gooit heel veel omver.
Het is een puinhoop.
Ze zoekt de staf.
De staf van de fee.

Bij het raam staat de kist.
De kist van de fee.
De fee snikt.
‘O, mijn staf!’ zegt ze.
‘Lot, mijn staf!’

Aan de muur hangt de trol.
In een zak.
Hij kan er niet uit.
Hij is boos.
Erg boos.
Hij slaat om zich heen.
'Laat me eruit!' roept hij.
'Vals kind!
Je mag dit niet doen!'

bang
kijkt
zoekt
boor
bruin

De staf van de fee

Lot doet net of de trol er niet is.
Ze zoekt de staf.
Waar zou die toch zijn?
De trol lacht.
Hij roept: ‘Ik zei het toch?
De staf is weg!’
Maar Lot weet dat hij liegt.

Daar ziet ze iets.
Het is bruin.
Het is vies.
Het lijkt een stok.
Ze pakt het.
‘Nee!’ roept de trol, ‘nee!’
Lot gaat naar de fee.
Ze huilt nog.
‘Is dit je staf?’
‘Nee,’ huilt de fee.
‘Mijn staf is niet bruin.
Mijn staf is niet vies.
Hij glimt.’
Lot veegt over de stok.
Er komt stof af.
‘Lot!’ roept de fee.
‘Lot, je hebt mijn staf!’

trol
ster
echt
mooi
glimt
knal
wijst
lang

Vrij

Lot zit op de vloer.
Ze veegt de staf schoon.
Het duurt lang.
Hij is ook erg vies.
‘Is het echt wel mijn staf?’ vraagt de fee.
De trol hangt aan de muur.
Hij slaat wild om zich heen.
‘Stom kind!’ roept hij.
‘Je weet niet wat je doet!
Laat me hier uit!’
Lot staat op.
De staf is klaar.
Hij glimt mooi.
‘Oo, Lot!’ roept de fee.
‘Mijn staf!
Hij is mooi!’
Lot geeft de staf aan de fee.
Ze zit nu recht.
Ze kan uit de kist.
Ze is vrij!
Ze wijst met de staf naar de trol.
Er komt een ster uit.
En nog een.
Een ster gaat naar de trol.
‘Nee!’ roept de trol.
Er is een knal.

Keihard.
De trol is weg.
De fee is blij.
Ze geeft Lot een zoen.
Ze zwaait met haar staf.

Oom Kees komt in het tuinhuis.
Hij kijkt om zich heen.
Het tuinhuis is schoon.
De rotzooi is weg.
'Lot!' zegt hij.
'Wat goed van jou!'
Lot zegt niets.
De fee knijpt haar oog dicht.
'Sst ... niets zeggen.'

sterretjes bij kern 10 van Veilig leren lezen

na 28 weken leesonderwijs

1. Hee, een fee
Femke Dekker en Jolet Leenhouts

2. Kijk uit voor die grapjas!
Selma Noort en Daniëlle Roothooft

3. Een beer in bad
Geertje Gort en Peter van Harmelen